Adivinanzas para niños

Adivinanzas para niños

Editorial Época, S.A. de C.V.
Emperadores No. 185
Col. Portales
03300 México, D.F.

Adivinanzas para niños
Selección: Juan Carlos López Serdán

© Derechos reservados 2007
© Por Editorial Época, S.A. de C.V.
Emperadores No. 185
Col. Portales
03300-México, D.F.
E-mail: edesa2004@prodigy.net.mx
www.editorialepoca.com.mx
Tels. 56 04 90 72
      56 04 90 46

ISBN 10: 970-627-579-7
ISBN 13: 978-970-627-579-0

Impreso en México - *Printed in Mexico*

Introducción

Las pruebas mentales que se convierten en un reto divertido para los niños han sido cuidadosamente seleccionadas en este ejemplar. Son más de cien adivinanzas que les ayudarán a analizar; lo que viene siendo una de las principales fuentes del conocimiento. Todas ellas se mantienen fieles a sus orígenes, es decir, no hemos cambiado ni alterado parte de su contenido precisamente para ofrecerle a usted un trabajo tradicional con el que fácilmente se pueda identificar. Estamos seguros que usted, padre o madre, conocen más de una de las cuestiones mentales que a continuación se presentan, pudiendo añadirle un poco de imaginación a la forma en que interactúen con sus hijos.

Podemos asegurarle que pasará horas enteras escuchando y analizando con mucho cuidado la solución, puesto que hemos incluido desde las más sencillas adivinanzas hasta las más difíciles, de modo que le garantizamos una convivencia absoluta incluso con los niños de más edad.

Adivinanzas para niños se vuelve el ejercicio obligatorio para convivir, al tiempo que se aprende, y será de ahora en adelante el mejor compañero de sus hijos para cualquier ocasión.

Adivina quién soy,
cuando voy vengo,
cuando vengo, voy.
¿Quién soy?

El cangrejo

Soy un lugar abierto para chicos y
grandes, dicen de mí que soy el
templo de la enseñanza.

La escuela

Todos pasan sobre mí
y yo no paso por nadie;
muchos preguntan por mí,
yo no pregunto por nadie.
¿Quién soy?

La calle

Una señora muy enseñoreada
sube al tren y no paga nada.
¿Qué es?

La mosca

Tiene la forma
de un puño cerrado;
en tu pecho late,
un dos, un dos,
con gran precisión.

El corazón

Somos de color oro,
negros o cafés,
y en tu cabecita
nos verás crecer.

Los cabellos

Los tienes en la cara
como dos ventanitas
tú con ellos puedes
mirar cosas bonitas.
¿Qué son?

Los ojos

Blanco como la leche
redondo como la luna.
¿Qué es?

El queso

Blanca como la nieve
dulce como la miel
yo endulzo los pasteles
la leche y el café.

El azúcar

No es como el Sol
ni la Luna
ni cosa alguna.

La tuna

Abro mi propio camino,
por tierra no puedo andar
y cuando voy en el agua
ando y ando sin parar.
¿Qué soy?

El barco

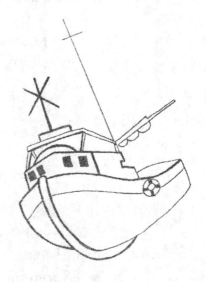

¿Cuál es el arco más grande
del mundo?

El arco iris

Es gris su pelambre,
sus ojos muy vivos;
le teme a los gatos
y se come los libros.

El ratón

Yo tengo una tía, mí tía,
Y ella tiene una hermana
que no es mi tía.
¿Qué es ella de mí?

Mi mamá

El que me hace
me hace chiflando,
el que me compra,
me compra llorando,
el que me usa
no sabe ni cómo ni cuándo.
¿Qué es?

El ataúd

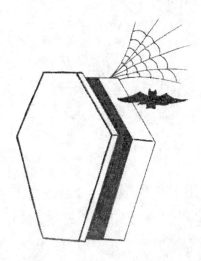

Una dama de verde prado,
que tiene un vestido de seda bordado.

La serpiente

De lejos vengo,
muy lejos voy,
piernas no tengo,
viajero soy.

El camino

Puede ser domesticado,
y aunque suele ser cochino,
es suculento bocado.

El cerdo

Quien duerme al oscurecer
y canta al amanecer.

El gallo

En lo alto de las montañas
mi morada se encuentra,
tengo pico traicionero,
y muy bella yo crecí.

El águila

Un convento bien cerrado
sin campanas y sin torres
y muchas monjitas dentro
preparando dulces flores.

La colmena

Su padre relincha
con pésima voz,
su madre rebuzna
y suelta una cos
¿Qué es?

La mula

¿Cuál es el animal
que siempre llega
al final?

El delfín

En verano
roja y fría
y fría
se divide en rebanadas.

La sandía

Soy redonda como el mundo
al morir me despedazan
me reducen a pellejo
y todo el jugo me sacan.

La uva

Pepe vino
y trajo un pino
yo lo agarro
y lo combino.

El pepino

Volando voy de flor en flor
llevando néctar de cada una
de las flores, de colores preciosos
me visto y chiquito y finito soy.

El colibrí

Me roban mi vestidura
porque la fuerza es su ley
y visten con mis despojos
desde el esclavo hasta el rey.

La oveja

Cuando llego,
presento brillantes bellezas
y el invierno se va
con sus heladas tristezas.

La primavera

¿Qué es?, ¿qué es?
lo que tienes que lavar
por lo menos una vez
antes de comer.

Las manos

Vivo presa y si me aprietan
saco yo mi lengua blanca,
para que limpio reluzca
un collar de blancas perlas.

La pasta de dientes

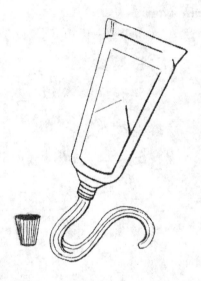

Están a tu lado,
y no las ves,
ponte abusado
y dime lo que es.

Las orejas

Habla y no tiene boca;
corre y no tiene pies;
vuela y no tiene alas
¿Qué es?

La carta

De joven, llena y jugosa;
de vieja, seca la cosa.

La uva

Soy una fruta muy rica
y tengo forma alargada;
el que mi cáscara pisa,
con seguridad resbala.
¿Quién soy?

El plátano

¿Cuál es el animal
que tiene los pies
en la cabeza?

El piojo

¿Qué es?, ¿qué es?
Del tamaño de una nuez
sube la cuesta
y no tiene pies.

El caracol

Pere anda,
Gil camina.
Se pasa de calmoso
el que no adivina.

El perejil

Nos cuida la casa,
es amigo fiel
y ladra muy bien
¿Qué es?

El perro

Lomo tengo y no soy caballo
tengo hojas y no soy árbol
¿Quién soy?

El libro

Es animalito
que tiene ocho patas
y teje de prisa
linda telaraña.

La araña

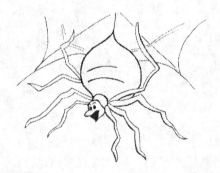

No es cine y tiene pantalla,
tiene teclas y no es piano,
tiene un ratón cuyo gato es tu mano
que lo atrapa y le da función.

La computadora

En el campo me crié atada
con verdes lazos,
aquel que llora por mí,
me está matando a pedazos.

La cebolla

Tengo agujero
y hago un agujero,
apenas paso por él,
lo cierro enseguida
con mi larga cola.

La aguja

Una cárcel bien cuidada,
con soldados de marfil, adentro
hay una víbora que es la madre del mentir.

La boca

Tengo vestido blanco,
dos remos para nadar,
y parezco buquecito
que navega sobre el mar.

El pato

La veremos en el zoológico;
tiene su cuerpo rallado,
las orejas muy curiosas y
cabeza de caballo.

La cebra

De mí hacen harina,
después rico pan,
cuando estoy maduro,
de oro me verás.

El trigo

Me llaman rey de la selva
por mi fuerza y vigor
tengo una hermosa melena
y mi nombre es...

León

Me apellidan rey y no tengo reino
dicen que soy rubio y no tengo pelo.
Afirman que ando y no me meneo.
Relojes arreglo sin ser relojero.

El Sol

¿Qué es?
que nace en el suelo
y tiene nariz.

El garbanzo

Mi nombre comienza con "s"
en algunos cuentos, cuando
me besa una princesa,
me convierto en un adorable
príncipe.

El sapo

¿Qué es?, ¿qué es?
Que tiene cabello,
ojos, cejas, nariz
y dientes también.

La cara

La tengo en la cara
con dos ventanitas,
y huelo con ella
esencias bonitas.

La nariz

Orejas largas,
rabo cortito,
corro y salto
muy ligerito.
¿Quién soy?

El conejo

Soy un caballo que no cabalga,
que nunca nadie jamás montó,
al asomarme entre los corales
mi cola es una interrogación.

El caballito de mar

Botón sobre botón
botón de filigrana
¿a que no me lo adivinas,
ni de aquí a mañana?

La piña

Soy verde, redondito,
mi cáscara es amarga
y siempre hacen conmigo
rica limonada.
¿Quién soy?

El limón

Soy roja como la sangre
y redonda como el reloj,
¿adivina quién soy?

La ciruela

Tengo mi cascarita delgada
muy chiquita y morada
no comerás de mi carne
hasta que esté bien asada.

El cacahuate

Un viejito
muy viejito
con un tranquito
en su rabito.
¿Qué es?

El chile

Adivina esta adivinanza
¿Qué tiene el rey en la panza?

El ombligo

Fui a la plaza
compré de aquello
llegue a la casa,
lloré con ello.
¿Qué es?

La cebolla

En agua puse mi nombre
en agua se me quedó
para que cate no sepa
cómo me llamo yo.

El aguacate

Se cuece sin aguja
se corta sin tijeras
se sube sin escaleras
y trae de un hilo
a las cocineras.
¿Qué es?

La leche

Es el mejor ornamento
de la cabeza del hombre
y es el sombrero su nombre
¡Adivínalo, jumento!

El sombrero

Cinco amigos
que se encuentran
unos a la derecha,
otros a la izquierda
y juntos forman diez.

Los dedos

Soy muy chiquita
pero de mí,
árbol o planta
puede salir.

La semilla

Un torito negro
que viene del aire.
No hay gato ni perro
que pueda atajarle.
¿Qué es?

La noche

Sin ser señor tengo bastón,
y sin ser dama tengo una falda,
que se alza sin asombro
para servir de toldo.

El paraguas

Tengo mi cobija blanca,
redondita y primorosa,
hago los campos de plata
y las noches muy hermosas.

La Luna

Con ellos caminas
corres y saltas,
los traes metidos
a veces en tenis,
zapatos o mocasines.

Los pies

¿Qué cosa y qué cosa
que entramos por tres partes,
y salimos por una?

La camisa

Le gusta comer nueces
es roja o colorada,
mas come avellanas
en tierras mexicanas.

La ardilla

Un huevo fue mi casa,
pero de ella salí,
ahora soy chiquito y
hago pío, pío, pí...

El pollito

Para crecer sano y fuerte,
nos debes comer,
aunque algunos niños,
no lo quieren hacer.

Los vegetales

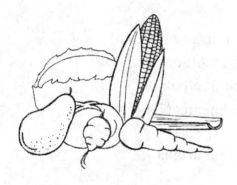

¿Cuál es animal
que va por la pared
con cien patitas cortas,
vestido de café?

El ciempiés

Son mis granos como perlas
y tortillas ricas doy
de la gente de mi patria,
alimento siempre soy.

El maíz

Dicen que mi tía Cuca
ha tenido mala racha
¿quién será esta muchacha?

La cucaracha

Un santo muy milagrero
que tiene fama de fuerte
es el san más barrullero;
si piensas, ¡puede que aciertes!

Sansón

Un platito de avellanas
que de día se recoge
y de noche se rebana.
¿Qué son?

Las estrellas

Entre dos paredes blancas
hay una flor amarilla
aquel que me lo adivine
lo comerá hecho tortilla.

El huevo

Su trabajo es volar
por los aires,
viste muy elegante,
va de aquí para allá
y comanda aviones.

El piloto

Ya ves, ya ves,
cuán claro es,
adivina ¿qué es?

Las llaves

Pensando me veo pensando
pensando me vuelvo loca
con la suegra de mi cuñada,
¿qué parentesco me toca?

La madre

De tierra morena vengo,
estirando y encogiendo;
nunca a los perros temí,
pero a las gallinas sí.

La lombriz

Giro mi cuerpo ante el Sol,
por ser mi dueño y señor.
¿Quién soy?

El girasol

Ayer capullito,
hoy gusanito;
mañana volará
como un pajarito.

La mariposa

Un bichito verde
sobre la pared
corre que te corre
y busca qué comer.
¿Qué es?

La lagartija

Qué vida más dura es
que te agarren por los pies,
golpeándote al derecho
y también al revés.

El martillo

Parece un cerro,
pero es todavía más alta
es a veces toda nevada,
y parece como pintada
con mil pinceladas.

La montaña

Cuando los amarran se van,
cuando los sueltan se quedan
¿Qué son?

Los zapatos

¿Cuál es el animal
que en primavera
camina en cuatro patas
en verano en dos
y en invierno en tres?

El hombre

El mar nos forma
grandes, hermosas,
y nos estrella contra
las rocas.
¿Quiénes somos?

Las olas

Es muy amiguito del vino,
da su aviso con trompetas
guarda muy bien su lanceta
y aquel que tiene buen tino
lo mata en la misma treta.

El mosquito

Muy temprano me levanto
en el gallinero estoy
se despiertan con mi canto
y adivina ya quién soy.

El gallo

Habla y no tiene boca
oye y no tiene oídos
es chiquito y mete ruido
muchas veces se equivoca.
¿Qué es?

El teléfono

Fui a comprar
tortillas a la plaza,
pero dije: ¡qué
¡duras! ¿no?
¿Qué es?

El durazno

Verde fue mi nacimiento
blanco fue mi despertar
el que se mete conmigo
al revés lo hago andar.

El pulque

Qué me ves que te da miedo
que burla de mí no harás
como te ves, yo me vi
como me ves, te verás.

El esqueleto

Tiene puente de metal,
con la cuerda se echa a andar,
baila y baila sin cesar,
y no se cansa de girar.
¿Dime cuándo parará?

El trompo

Llevo pinzas por delante
y el veneno por detrás,
y en un signo del zodiaco
tú me puedes encontrar.

El escorpión

Yo te fijo en un papel
sonriendo o como tú estés;
cuando ven que guiño el ojo
todos quieren salir bien.

La cámara

Serví a muchos piratas
para encontrar tesoros
y al viajar me aprecian todos
aunque no soy de oro.

El mapa

Me han dicho que María Luisa
tan comilona y golosa
hizo una gracia graciosa
que tomó en una taza,
una letra.

El té

Largo como un camino,
pesa menos que un comino
¿Qué es?

El humo

Es papa y no se come.
No es pájaro y vuela.
Es lote y no tiene tierra.
Para más señas, tiene cola de trapo.
Y anda a la greña.
¿Qué es?

El papalote

Si está mal, está muy bien
haga calor o haga frío,
va bien envuelto todo él.

El tamal

Una cajita redonda
blanca como el azar
todos la saben abrir
nadie la sabe cerrar.
¿Qué es?

El huevo

Campos verdes
casas blancas
paredes rojas
y habitantes negros.
¿Qué es?

La sandía

Soy bella pero espinosa
soy soberbia y olorosa
soy una flor y me llamo...

Rosa

Doce hermanos somos,
yo el segundo nací;
¿si yo soy el más pequeñito,
cómo puede ser así?

El mes de febrero

Blanco y no es papel
colorado y no es clavel
pica y chile no es.

El rábano

Voy al mercado
compro algo maduro
llegando a mí casa
me quito la cascarita.
¿Quién soy?

El plátano

Capita sobre capita
capita de fino paño
a que no me lo adivinas
ni de aquí a un año.

La cebolla

Tengo un árbol
con cien ramas
cada rama con un nido
cada nido con un pájaro
y cada pájaro
con un distinto chiflido.

El piano

Te la digo y no me entiendes
te la digo y no me comprendes
¿Qué es?

La tela

Qué cosa y qué cosa
que entra en la montaña
y lleva la lengua sacada.

El hacha

Soy de la sabana,
que no de la selva,
los países me han tomado como escudo;
el que sea rey es más cosa de cuento,
aunque en verdad parezco un monarca greñudo.

El león

Suben y bajan
encima de mí
y nadie comprende
lo que me duele a mí.
¿Quién soy?

La escalera

Tito tito capotito
sube al cielo y echa un grito.
¿Qué es?

El cohete

¿Cuál es la señora
que con un diente
llama a toda la gente?

La campana

Soy un gigante dormido
que a la tierra hace vibrar
cuando en mi profundo lecho
se me ocurre despertar.

El volcán

En Francia me fabricaron
y en España me vendieron
si estoy preso vivo bien·
si me desprenden me pierdo.
¿Quién soy?

El alfiler

¿Cuál es la cosa
que con la punta del pie
busca por dónde pasar
y con el rabillo del ojo
deja su huella?

La aguja

Voy de tu casa
a cualquier parte
pero siempre me quedo
en el mismo lugar.
¿Quién soy?

El camino

Soy un galán muy hermoso
por todas las damas querido
nunca he fallado verdad
ni en mentiras me han sorprendido.

El espejo

Yo tengo hojas como un árbol
que tú puedes arrancar,
en mí escriben y hacen cuentas
hasta los de más edad.

El cuaderno

Cuatro caballitos
que van para Francia
corre que te corre
y nunca se alcanzan.

Las llantas

A pesar de tener patas
yo no me puedo mover
llevo la comida encima
y no me la puedo comer.

La mesa

Tengo hojas sin ser árbol
te hablo sin tener voz
si me abres yo me quejo
¿adivinas ya quién soy?

La puerta

No soy árbol, has de ver
pero también tengo hojas
mucho me has de querer
cuando mis frutos recojas.

El libro

De lo alto suelo bajar
con brinco y salto ligero
traigo capa y pie de acero
se corren y se bailan
con capa no puedo andar
pero sin capa tampoco
y para volverme loco
mi capa me han de quitar.
¿Quién soy?

El trompo

Sacamos burbujas
por la boca, dentro
del agua vivimos,
de muchos colores

somos y a veces
por la boca morimos.
¿Quiénes somos?

Los peces

Una dama blanca,
alta y delgada
con la nariz larga y colorada
mientras la nariz arde y palpita
la dama se vuelve pequeñita.

La vela

Un niño blanco
cabecita roja
si lo rascan grita
y después se enoja.

El cerillo

Mi comadre la pintita
sube y baja a San Andrés
habla y no tiene boca
camina y no tiene pies.
¿Qué es?

La carta

En la plaza
bonita la compré
regresé a casa
y con ella yo bailé.

La escoba

Cuando me siento, me estiro
cuando me paro, me encojo
entro al fuego y no me quemo
entro al río y no me mojo.
¿Quién soy?

La sombra

Qué son, qué son,
que además de tener blanco
en los ojos,
blancos los tienes también.

Los dientes

En un monte campirano
hay un niño franciscano
tiene barbas y no es hombre
tiene dientes y no come.
¿Qué es?

El ajo

Verde en el bosque
negro en la plaza
y coloradito
se está en la casa.
¿Qué es?

El carbón

En el campo fui nacida
las llamas son mi alimento
dondequiera que me llevan
es para darme tormento.

La leña

En un cuarto muy oscuro
vive un vivo y un muerto
el muerto le dice al vivo
ráscame el ombligo.
¿Qué es?

La guitarra

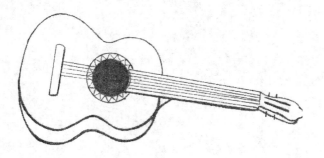

Pobre soy
pobre nací
pobres y ricos
me quieren a mí.

La sal

Protegen tus ojos
son largas y suaves
no son las cejas,
pero son muy parecidas.

Las pestañas

En un cerro muy redondo
hay muchas vacas
unas se echan
y otras se paran.

Las tortillas

Blanco salí de mi casa
en el campo reverdecí
y si Dios me da licencia
volveré a entrar como salí.

El maíz

Espera, traidor espera
espera y no corras más
espera que te lo diga
por delante y por detrás.

La pera

¿Cuál es la persona
que tiene las cinco vocales?

Abuelito

Fui producto de la tierra
hago al hombre más fuerte
a veces le doy salud
y a veces le causo muerte.
¿Quién soy?

El vino

Me hizo mi madre
una casita blanca
sin puertas y sin ventanas
y yo para salir de mi habitación
me veo obligado a romper el cascarón.

El pollito

Tengo un árbol con doce ramas
cada rama con doce nidos
cada nido con siete pájaros
y cada uno
con sus apellidos.

El año

Cuatro palitos me conforman,
tres de ellos están alzaditos
y el de enmedio está chiquito,
¡eh! Aquí esperando estoy
que me digas quién soy.

La letra E

Una señora
muy aseñorada
con muchos remiendos
y ni una puntada.

La gallina

Soy muy buen mozo
valiente y bizarro
tengo doce damas
para mi regalo
todas van en coche
todas tienen cuartos
todas usan medias
pero no zapatos.

El reloj

Ésta es una adivinanza
que se pela por la panza
¿Qué es?

La naranja

Soy rey que impero
en toda la nación
tengo doce hijos
de mi corazón
de cada uno
treinta nietos
que son mitad blancos
y mitad prietos.

El año

Lo hace el zapatero
para tu piesito
con suela muy gruesa
y cuero muy fino.

El zapato

Con mi cara encarnada
y mis ojos negros
con mi vestido verde
el campo alegro.

La amapola

Adivina: a mí no
me debes lastimar
porque te he hecho hogar
y frescura siempre
te voy a dar
y bajo mi sombra puedes estar.

El árbol

Hago paredes
pongo cimientos
yo a los andamios
subo contento.

El albañil

Pon mucho cuidadito,
fíjate bien y podrás fácilmente
decir qué es.
Palparla con las manos
no puede ser,
y mientras es más grande,
menos se ve.

La oscuridad

Al tenerlas, debes cuidarlas, regarlas,
abonarlas y quitarles las plagas
también, para mantenerlas
sanas y bonitas.

Las plantas

Tiene famosa memoria
fino olfato y dura piel
y las mayores narices
que en el mundo pueda haber.
¿Qué es?

El elefante

Salgo de la sala,
voy a la cocina
meneando la cola como
una gallina.

La escoba

Clavado de pies y manos
herido en la cruz está;
no es Dios ni su semejanza,
adivina quién será.

El caballo

Patio barrido,
patio regado,
sale un viejito
bien espantado.

El guajolote

Porque me gusta la miel
yo te parezco gracioso
y me ves mis hijos
y crees que son amorosos;
ten cuidado, pues soy grande,
muy fuerte y poco amistoso.

El oso

Nos damos en una vaina
a la que se llama ejote;
pero si a secar nos dejan
tomamos luego otro nombre.

Los frijoles

Llevo mi casa al hombro,
camino sin una pata
y voy marcando mi huella
con un hilito de plata.

El caracol

Del que te hablo tiene pico
mas si tú hablas como él
te dirán que eres...

El perico

Es muy lenta al caminar,
veloz si nada en el mar,
tartaruga en portugués,
en español, dime qué es.

La tortuga

Una señorita
muy aseñorada
nunca sale de casa
y siempre está enojada.

La lengua

Verde fue mi nacimiento
amarillo fue mi abril
tuve que ponerme blanco
para poderte servir.

El algodón

Tengo cinco habitaciones,
en cada una un inquilino,
y cuando llega el invierno,
sin salir de su cuartito,
hago que todos estén
bien calientitos.

Los guantes

Yo mantengo el cuerpo humano
no tengo sabor ni olor,
mas en el tiempo de calor
si me arriman bien la mano,
soy agradable licor.

El agua

Ave tengo yo por nombre
y es llana mi condición
al que no me lo adivine,
le digo que es un simplón.

La avellana

¿Qué es, qué es
lo que se compra para comer
y no se come?

La cuchara

Cuando ves letras en un libro
la usas, y con ella puedes
aprender millones de cosas.
¿Qué es?

La lectura

A la comida doy sabor,
soy blanca y chiquitita
me sacan del mar,
y siempre me pones en tu mesa.
¿Quién soy?

La sal

En un mismo caminito
mil damas vienen y van,
muy de prisa, muy de prisa,
se saludan al pasar.
Y aunque todas, todas van,
van corriendo en el camino
ni hacen polvo en su carrera,
ni levantan remolinos.

Las hormigas

Mi nombre lo leo
mi apellido es pardo,
quien no lo adivine
es un poco tardo.

El leopardo

Corro, galopo y camino,
a mí me puedes montar
y si tienes un carrito
yo te lo puedo jalar.
¿Qué es?

El caballo

Pequeña como un botón
y tengo energía de campeón
¿Quién soy?

La pila

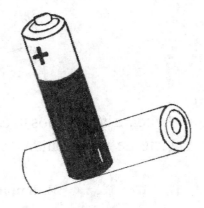

Es verde muy grande,
es un animal
muy fiero cuando le quitan la piel,
la curten y muy cara la dan.
¿Quién es?

El cocodrilo

Sus herramientas son
los clavos de martillo,
y a la madera la convierten
en un bello artificio.
¿Quién es?

El carpintero

Ayuda a apagar los incendios,
viste de rojo y anda en grandes camiones.

El bombero

Es redonda, es de goma,
de madera o de metal,
y sale a dar la vuelta
con su amiga igual.

La rueda

Limpia las calles de la ciudad,
va de aquí para allá
con mucho trabajo
y si tú no tiraras
tanta basura,
terminaría más rápido.

El barrendero

Pinto los bosques
de amarillo, tras la
primavera he llegado,
y conmigo el Sol camina.
¿Quién soy?

El verano

Esta obra se terminó de imprimir en los talleres de
Impresora Publi-mex, S.A. de C.V.
Calz. San Lorenzo No. 279- 32 Col. Estrella Iztapalapa,
C.P. 09850, México, D.F.
Se imprimieron 1,000 ejemplares más sobrantes